C000257343

Les animaux de Lou

Courage, Petit Marin !

Des romans à lire à deux,
pour les premiers pas en lecture !

La collection Premières Lectures accompagne les enfants qui apprennent à lire. Chaque roman peut être lu à deux voix : l'enfant lit les bulles et un lecteur confirmé lit le reste de l'histoire.

Cette collection a trois niveaux :

JE DÉCHIFFRE les bulles peuvent être lues par l'enfant qui débute en lecture.

JE COMMENCE À LIRE les bulles peuvent être lues par l'enfant qui sait lire les mots simples.

JE LIS COMME UN GRAND les bulles peuvent être lues par l'enfant qui sait lire tous les mots.

Quand l'enfant sait lire seul, il peut lire les romans en entier, comme un grand !

Un concept original **+** des histoires simples **+** des sujets qui passionnent les enfants **+** des illustrations :
des romans parfaits pour débuter en lecture avec plaisir !

Cette histoire a été testée par Francine Euli, enseignante, et des enfants de CP.

Loi n° 49-956 du 16 juillet 1949 sur les publications destinées à la jeunesse, modifiée par la loi n° 2011-525 du 17 mai 2011.
ISBN : 978-2-09-253037-5

JE DÉCHIFFRE | **JE COMMENCE À LIRE** | JE LIS COMME UN GRAND

Courage, Petit Marin !

Texte de Mymi Doinet

Illustré par Mélanie Allag

Aujourd'hui, c'est le premier jour des vacances. Au camping des Mouettes, Lou retrouve Tim, son cousin, qui l'éclabousse des pieds à la tête. Lou rit :

Réglisse, la chienne labrador
de Lou, creuse un trou à côté,
et bing ! la tour tombe.

L'après-midi, Tim remplit son épuisette de bonnes crevettes, suivi de ce glouton de Macaron, le chat de Lou !

Tout à coup, un aileron sort des flots ! Tim s'écrie :

Mais pas de panique ! C'est un bébé dauphin qui vient de s'échouer sur la plage. Le delphineau a mal :

Heureusement, Lou comprend
le langage des animaux ! Elle ouvre
son grand parasol.

Soudain, le dauphin ne bouge plus!
Lou est inquiète. Alors, zou! elle court prévenir Nino, le maître-nageur.

Il lance aussitôt un appel d'urgence dans son micro:

Venez tous arroser le dauphin !

Puis, Nino file chercher son bateau. Quand il revient, ho hisse! il installe Petit Marin à bord, sur des serviettes mouillées.

Accompagné de Lou et de Tim,
Nino vogue pour vite remettre
le dauphin à la mer.

Heureux de se retrouver dans
les vagues, plouf! Petit Marin plonge
sous les planches à voile.

Regarde,
Petit Marin double
le bateau !
Lou tend ses jumelles à Tim.
Puis, le dauphin disparaît au loin.

C'est le soir maintenant. Les parents de Lou ont préparé un bon pique-nique pour dîner sur la plage.

Entre deux bouchées de taboulé,
Lou pense au dauphin qui est parti :

Après le dessert, Tim et Lou se faufilent derrière les rochers et ils sautent dans leur canoë. Lou n'est pas rassurée.
Il est tard : Nino n'est plus là pour surveiller la plage.
Elle grelotte :

Naviguons comme des matelots, ohé, ohé !

Pendant ce temps-là, près du petit port de pêche, la maman de Lou se fait du souci :

Où sont passés
les enfants ?
La marchande de glaces
ne les a pas vus non plus !

Au même moment, une vague renverse le canoë des enfants. Apeurée, Lou appelle :

Apportez-nous des bouées, nous n'avons plus pied !

Mais personne ne l'entend.

Comme les vagues sont hautes !
Tim panique à son tour. Il hurle :

Splatch, bing ! Tim et Lou sont projetés en avant. Qui donc vient de les pousser vers le rivage ?

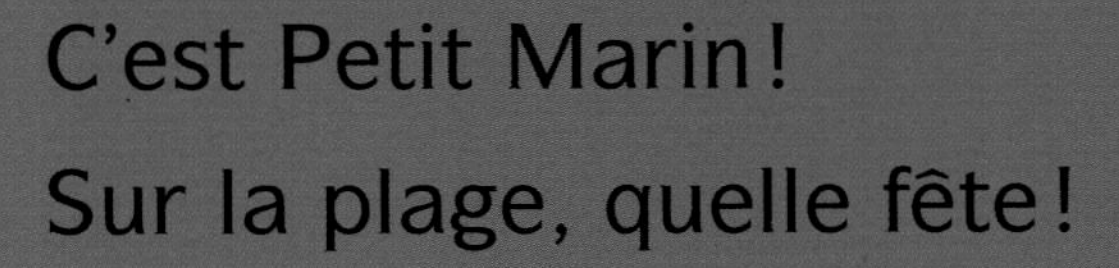

C’est Petit Marin !

Sur la plage, quelle fête !

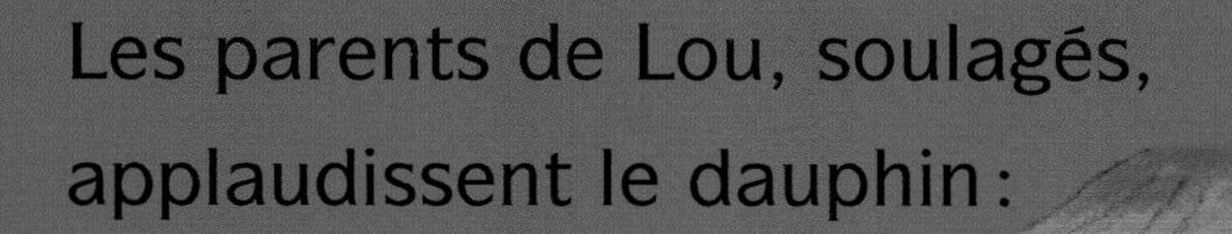

Les parents de Lou, soulagés,
applaudissent le dauphin :

Au pied du phare qui clignote,
la tête dans les étoiles,
Lou et Tim remercient leur grand sauveteur :

Trop fort Petit Marin, tu nous as sauvé la vie !

Lou te dit tout sur le dauphin

Le dauphin n'est pas un poisson
C'est un mammifère marin. Il n'a pas d'arête mais un squelette. Et puis, il a des poumons qu'il remplit d'air en remontant souvent à la surface des flots.

Il n'a pas de nez qui dépasse
Comme la baleine, le dauphin respire par l'évent, une narine, vrai petit trou placé à l'arrière de sa tête.

Du lait pour bien grandir
Bébé, le delphineau mesure déjà 1 mètre et il pèse 30 kilos. Pour devenir costaud

comme ses parents, il boit le lait de
sa maman, un lait au goût de crevette.
Adulte, le grand dauphin pèsera plus
de 250 kilos !

Une peau fragile

Hors de l'eau, sa peau se dessèche.
Elle est douce lisse et imperméable :
l'eau glisse dessus comme sur des bottes
en caoutchouc.

Un menu 100% marin

Le dauphin est gourmand de calmars,
crevettes et poissons. Chaque jour,
il en mange 9 kilos.

Un vrai sportif

Le dauphin sait nager dès sa naissance.
Il se déplace à la vitesse de 30 kilomètres-
heure et il peut faire des sauts de 6 mètres
de haut au-dessus des vagues.

Bravo ! Tu as lu un livre en entier !
Tu as aimé cette histoire ?
Retrouve Lou dans d'autres aventures !

premières lectures

N° éditeur : 10247380 – Dépôt légal : mars 2011
Achevé d'imprimer en juin 2018 par Pollina
(85400 Luçon, Vendée, France) - 85866

MIXTE
Papier issu de sources responsables
FSC® C022030